一学就会 做 蛋糕

[名店主厨]
[独家心得]

18 款轻松易做的蛋糕配方，一次通通学会！

目 录 CONTENTS

新手入门术 ················· 04

Part 1 器具、模型齐上阵 ··············· 04

Part 2 蛋糕烘焙材料从头细说起 ·········· 06

基础蛋糕步步来 ··············· 08

● 关键时刻 1：正确计量材料 ············· 08

● 关键时刻 2：使用粉类要过筛 ·········· 09

● 关键时刻 3：蛋白打发至干性发泡 ····· 09

● 关键时刻 4：蛋糕烤焙四阶段 ············10

● 关键时刻 5：扣模三阶段 ·················10

动手制作第一个基础蛋糕 ······· 11

香草戚风蛋糕 ·························· 11

动手制作第二个基础蛋糕 ······· 15

香草海绵蛋糕 ·························· 15

蛋糕成败关键大公开 ··············· 19

戚风蛋糕的成败关键~

糖蛋白搅拌四部曲 ····················· 19

海绵蛋糕的成败关键~

测试蛋糊浓稠度的三种方式 ·········· 20

10 款戚风蛋糕

简单易容术马上上手 ··········· 21

咖啡蛋糕卷 ·························· 22

薰衣草蛋糕 …………………………… 26

胚芽蛋糕卷 …………………………… 28

蔓越莓蛋糕 …………………………… 30

栗子蛋糕 ……………………………… 32

草莓冰淇淋蛋糕 ……………………… 34

巧克力戚风蛋糕 ……………………… 36

肉松蛋糕 ……………………………… 38

抹茶蛋糕 ……………………………… 40

山药蛋糕卷 …………………………… 42

7 款绝不可错过的
海绵蛋糕秀 ………………… **43**

红茶海绵蛋糕 ………………………… 44

柠檬蛋糕 ……………………………… 46

黑糖海绵蛋糕 ………………………… 48

森林水果海绵蛋糕 …………………… 50

橙桔海绵蛋糕 ………………………… 52

红豆天使蛋糕 ………………………… 54

草莓天使蛋糕 ………………………… 56

4 个蛋另类创意大变身 ……… **57**

红豆饼 ………………………………… 58

鸡蛋糕 ………………………………… 60

铜锣烧 ………………………………… 62

软绵绵的质地，香醇浓郁的口感，简洁流畅的装饰，让摆在玻璃橱窗内的蛋糕散发出一股令人无法阻挡的诱人魅力。想要亲手打造属于自己风味的迷人蛋糕吗？其实一点也不困难喔！不过在动手前，先来找找家中的器具是否已经准备齐全呢！蛋糕材料很有帮助。

Part 1 器具、模型齐上阵

磅秤

称量材料重量的工具。传统式的磅秤比较难以准确称量出微量的材料，而电子秤则较为精准，最低可称量至 1 克，这对有时需要称出微量的蛋糕材料很有帮助。

打蛋器

用来搅拌打发或拌匀材料的工具，较常使用的是瓜形打蛋器和电动打蛋器。若要搅拌打发蛋糕的面糊，建议使用电动打蛋器会比较节省力气和时间喔！

量杯

1 杯的标准容量是 236 毫升，可方便量取面粉、水或牛奶等材料；使用时必需放在水平面上来看刻度，视线与粉或水的表面平齐，才能读出准确的体积。

筛网

主要是将蛋糕材料中的粉类过筛的工具，例如：低筋面粉、泡打粉、细砂糖等材料。如此是为了过滤掉杂质及颗粒较粗大的粉状，让烘焙出来的蛋糕质地较为细致绵密。

蛋糕旋转盘

将做好的蛋糕体放在蛋糕旋转盘上后，将可轻松且灵活地为蛋糕作出各种装饰变化。例如：想在蛋糕体上涂抹上均匀的鲜奶油，就可善用此工具。

挤花袋、挤花嘴

挤花袋是非常好用的工具，只要套上不同的花嘴，就可以挤出各种图形，适合用来挤较软的面糊；只要将适量的鲜奶油或面糊装入袋中，就可轻易挤出各式花样。而塑胶材质的挤花袋，使用后最好使用温水清洗，因为过热的水温容易破坏胶质挤花袋的材质。

刮刀

刮刀一般为橡皮材质，具弹性，主要是用来混合粉类材料、拌匀面糊及取出盆子里剩下的材料。但要注意，橡胶无法耐高温，所以不要拿来搅拌过热的材料喔！

蛋糕模具

烘焙蛋糕的工具。例如中空烤模，可以运用在制作戚风蛋糕和海绵蛋糕上，也有椭圆形的烤模，最常见是用来制作柠檬蛋糕的造型。另外还有制做红豆饼、鸡蛋糕、铜锣烧的烤模。

冷却架

将刚出炉的蛋糕先倒扣在冷却架上等待冷却，可以让蛋糕内部组织的水分散发出来，这样才不会导致蛋糕内缩或表面潮湿的状况。

Part ② 蛋糕烘焙材料从头细说起

低筋面粉

简称为"低粉"，蛋白质含量在 7 ~ 9 % 之间，因为筋度低所以适合用来制作筋度较小、不须太大弹性的饼干、蛋糕等松软食品；同时为避免筋度出现，在搅拌低筋面粉时只要用橡皮刮刀轻轻搅拌即可。

泡打粉

俗称发粉，是一种由小苏打粉再加上其他酸性材料所制成的化学膨大剂，溶于水中即可产生二氧化碳。

细砂糖

西点制作时不可缺少的材料，除了可以增加甜味外，打蛋时加入也有帮助起泡，但是因为粗砂糖不容易溶解于面糊中，所以制作蛋糕时，使用细砂糖最佳。

油

为了使蛋糕的面糊更容易搅拌均匀，最好是用液体的油，而最理想的油脂是色拉油，因为色拉油不含其它味道，颜色也较纯净。

盐

制作戚风蛋糕时，盐有促使其他材料发挥原有香味的功能，也可以增加蛋糕的甜度，让人在品尝蛋糕时，不会只有甜腻的感觉。

蛋

蛋是制作蛋糕时不可或缺的重要材料之一，具有发泡性、凝固性和乳化性等特性。选择鸡蛋时，对着光线看，如果蛋的透光度很好，而蛋的外壳摸起来粗糙，表示这鸡蛋较新鲜。在炎热的夏季里，最好先将蛋放入冰箱冷藏保存，使用前再取出来回温即可。

鲜奶油

鲜奶油又分动物性和植物性二种。动物性鲜奶油可融性佳，适合用来制作冰淇淋、慕斯等成品；植物性鲜奶油因可塑性较高且有甜味，因此常被用来作装饰挤花或涂抹在蛋糕体上增加口感。

塔塔粉

可用来中和蛋白中的碱性，以增加蛋白的韧性。

基础蛋糕步步来
关键时刻要掌握

　　想要做出像面包店内一样的漂亮蛋糕，其实并不困难，只要你跟着基础蛋糕的做法步步来，学会了制作最基础的戚风蛋糕和海绵蛋糕，绝对能够让你轻轻松松就将蛋糕端上桌。

　　但如果一时忽略了制作蛋糕时的材料或步骤，想烤出外观口感一极棒的蛋糕，可能就有些困难了。制作蛋糕时的每一个步骤及正确使用材料的方式，都有其用意，所以只要能够准确掌握住每个步骤的关键点，一步步小心谨慎，想做出成功的蛋糕绝非难事。现在，就让我们来一一掌握做蛋糕时的关键时刻吧！

关键时刻 1 ▶▶
正确计量材料

正确计算并称量出材料的分量，是制作蛋糕时很重要的事情，因为每一种材料都有各自肩负的责任，所以缺一不可；而每种材料的重量比例也是蛋糕成败的关键，多一毫少一克都有可能造成严重的致命伤，所以除非很熟悉每种材料，否则最好还是称量出所需的确切材料分量。

Tips

　　如果仍想确认蛋糕是否真正烘焙完成，可用一支竹签插入蛋糕的中心，如果竹签上仍有沾黏面糊，即表示尚未完成需再继续烘焙，反之竹签上没有沾黏面糊，那蛋糕就完成！

关键时刻 2 ▶▶▶
使用粉类要过筛

制作蛋糕时，使用的粉类一定要过筛后才能使用。这是因为怕面粉或其它粉类的材料在制作过程中产生结粒的状况，如此会影响到烘焙后的蛋糕口感和美观。

失败品

没有过筛的粉类一经烤焙后，会使蛋糕的组织较为粗大，产生空洞。

关键时刻 3 ▶▶▶
蛋白打发至干性发泡

蛋白没有打发，最直接的影响就是蛋糕出炉后会收缩，所以打发蛋白是制作蛋糕时一定要学会的技巧，蛋白如果没有打到干性发泡是不算完成喔！一定要打到将打蛋器举起时，沾裹在器具尾端上的泡沫会有 1～2 厘米高的尖峰且不会滴落，这样才算合格喔!

没有将蛋白打发而烘焙出的蛋糕，可以明显看到较粗的组织，蛋糕表皮也较为粗糙。

蛋糕烤焙四阶段

做好的蛋糕面糊倒入烤模中直到烘焙完成，总共会经过 4 个阶段，一定要学会判断，这样才不会在不对的时机里从烤箱中误取出蛋糕而功亏一篑。

第 1 阶段	第 2 阶段	第 3 阶段	第 4 阶段
面糊填入烤模中约 6~7 分满。	蛋糕表面呈现出金黄色色泽，并且产生外围高、中间凹陷的形状。	蛋糕开始膨胀且高于烤模。	蛋糕的高度恢复到和烤模一样的高度即完成。

扣模三阶段

蛋糕烘焙完成从烤箱中取出时，可别急着将蛋糕脱模倒扣出，这样会导致蛋糕内缩，因为蛋糕表面和盘子间没有留足够的空间让空气对流，或让蛋糕表面容易因为内部组织的水分蒸发不出来，而使得蛋糕表面湿湿黏黏的，所以正确的做法应该是将蛋糕倒扣在冷却架上，让垫高的冷却架下方可以有与空气对流的空间。

第 1 阶段	第 2 阶段	第 3 阶段
倒扣在冷却架上让蛋糕冷却。	用手沿着模型边缘压挤蛋糕。	再用手向内压扣蛋糕脱模即可。

动手制作 香草 戚风蛋糕

　　戚风蛋糕即chiffon cake，指的是材料中的油脂在搅拌过程中，拌入空气然后送进烤箱受热膨胀而成的蛋糕，但最重要的过程是将鸡蛋中的蛋白和蛋黄分开来搅打。戚风蛋糕的面糊含水量较多，因此完成后的蛋糕体组织比起其它类的蛋糕松软，口感也较为细致绵密。

材料

A. 蛋黄 …………… 4 个
　　牛奶 …………60克
　　色拉油 ………60克
　　细砂糖 ………60克
　　盐 ……………1克

B. 低筋面粉 …… 120克
　　泡打粉 ………… 3 克
　　香草粉 ………0.5克

C. 蛋白 …………… 4 个
　　塔塔粉 ………… 2 克
　　细砂糖 ………70克
　　白砂糖 …… 1 小匙
　　黑麻油 …… 5 大匙

步骤 1

将材料 B 中的低筋面粉、泡打粉、香草粉混合后，再过筛备用。

步骤 2

拿两个大碗，以纸巾擦拭干净至碗内呈现无水、无油的状态即可。

步骤 3

将蛋白和蛋黄分开打入步骤2的两个大碗中。

步骤4

用打蛋器将碗内的蛋黄打散开来。

步骤5

继续加入牛奶、色拉油、细砂糖和盐一起混合搅拌至无颗粒状存在。

步骤6

此时可用刮刀测试步骤5中的材料是否还有未打散的糖、盐颗粒状。

步骤7

将步骤1中的材料加入步骤6的材料中一起搅拌均匀。

步骤8

将打蛋器拿起作测试,若是面糊光滑细致且有流性就是成功的。

步骤9

在装有蛋白的大碗中,加入塔塔粉。

步骤 10

用电动搅拌器将蛋白打到起大泡泡为止。

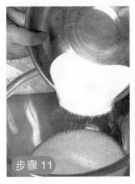

步骤 11

将材料C中的细砂糖分为三等分,取 1/3 的分量加入步骤10的材料中。

步骤 12

继续搅拌直至起细泡泡为止。

步骤 13

将 1/3 的细砂糖加入,继续搅拌至发泡。

步骤 14

将剩余的 1/3 细砂糖加入,继续搅拌至干性发泡,即为糖蛋白。

步骤 15

取出步骤14 中 1/3 的糖蛋白,加入步骤8的面糊中搅拌均匀。

步骤 16

步骤 17

步骤 18

将步骤 15 的材料倒入步骤 14 剩余的糖蛋白中一起混合搅拌均匀，即为香草戚风蛋糕的面糊。

将面糊倒入 20 厘米烤模中，约 6 ~ 7 分满，放入 180 ℃的烤箱中，烤焙约 35 分钟取出。

将取出的蛋糕倒扣出来放凉。

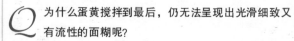

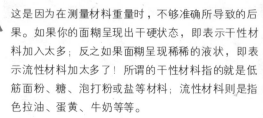

Q 为什么打蛋的碗一定要无水无油的状态才能使用呢？

A 这是因为蛋白在搅打过后，会呈现出胶凝状态，如果遇到了水或油，就不能完整呈现胶凝状态，也会没办法包住空气而影响到蛋糕的口感。

Q 为什么蛋黄搅拌到最后，仍无法呈现出光滑细致又有流性的面糊呢？

A 这是因为在测量材料重量时，不够准确所导致的后果。如果你的面糊呈现出干硬状态，即表示干性材料加入太多；反之如果面糊呈现稀稀的液状，即表示流性材料加太多了！所谓的干性材料指的就是低筋面粉、糖、泡打粉或盐等材料；流性材料则是指色拉油、蛋黄、牛奶等等。

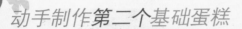

动手制作**第二个基础蛋糕**

香草 海绵蛋糕

海绵蛋糕的做法是将全蛋充分打发后，藉由气泡中的空气在烤箱中受热而膨胀的蛋糕。通常海绵蛋糕都会被拿来作为生日蛋糕的蛋糕体。另外还有一种海绵蛋糕是全部只用蛋白制作的，我们称它"天使蛋糕"，名字很美吧！

材料

全蛋 ·························· 4 个	低筋面粉 ···················· 140 克
细砂糖 ···················· 206 克	色拉油···························· 30 克
盐 ······························ 4 克	鲜奶···························· 30 克

步骤 1

将全蛋打入大碗中打散。

步骤 2

一边搅拌步骤 1 的材料，一边加入细砂糖和盐搅拌均匀。

步骤 3

用隔水加热的方式，将步骤 2 的材料加温至 40 ℃左右后离火。

步骤4

用电动搅拌器快速打发，打至蛋糕的体积变成两倍大。

步骤5

将电动搅拌器速度放慢，再继续搅拌到蛋糕变成浓稠状。

步骤6

用手测试蛋糕，当蛋糕呈现流状，可垂下约2～3厘米即可。

步骤7

低筋面粉过筛后倒入步骤6的蛋糕中。

步骤8

用刮刀以轻快的速度搅拌均匀，直到看不到面粉颗粒为止。

步骤9

取出步骤8中1/3的面糊，与色拉油搅拌均匀。

步骤10

将步骤9材料与步骤8中剩余的面糊混合搅拌均匀。

步骤11

加入鲜奶继续搅拌均匀，即可完成香草海绵蛋糕面糊。

步骤12

将适量的面糊倒入20厘米烤模中，约6～7分满的分量即可。

步骤13

轻轻敲打烤模，让面糊中多余的气体释出。

步骤14

放入180℃的烤箱中，烤焙约35分钟左右即可放凉脱模。

Q 为什么要先取出少许的面糊和色拉油搅拌均匀？

A 如果一次就将全部的面糊和色拉油混合搅拌，会使得打发的面糊消泡，如此就失去打发的意义了！因为蛋糊和色拉油的比重不一样，蛋糊轻而色拉油较重，所以必需先取一些面糊与色拉油拌匀，让面糊和色拉油的比重较相近后，再和剩余的面糊混合拌匀，这样将可以确保自己打发的面糊不失败喔！

Q 为什么全蛋打散后，加入的细砂糖一定要搅拌均匀呢？

A 因为全蛋打散后，有了空气的进入，所以为了避免没有打散的细砂糖包住蛋黄，导致蛋黄变成颗粒状，以致于影响到烤焙好蛋糕的绵密组织，导致口感不细致，所以一定要不断地搅拌均匀到看不到颗粒才可以！

Q 制作完成的面糊要倒入烤模中时，为什么不能填满烤模呢？

A 因为在烘烤的过程中，面糊会适度膨胀，所以如果烤模中填入的面糊过满的话，很可能会烤出一个头大身体小的奇怪蛋糕；反之如果倒入烤模中的面糊过少，因为材料比例不正确，就会致使面糊无法膨胀，所以说最好就是将烤模填约6～7分满即可。

蛋糕成败关键大公开

糖蛋白搅拌四部曲

戚风蛋糕的做法是先将鸡蛋分为蛋白、蛋黄两部分，分别搅拌完成后再混合。糖蛋白的搅拌动作需要经过 4 个阶段的考验，稍微不留神注意，就会功亏一篑了喔！

关键 1

起大泡泡

蛋白一定要不断地用打蛋器搅打成液态后，让它表面上出现许多不规则的大泡泡才是正确的。

关键 2

第一次加入 1/3 细砂糖后搅打成细泡泡

将 1/3 的细砂糖加入，蛋白经搅拌后大泡泡会消失，逐渐成为许多的细小泡泡。

关键 3

第二次加入 1/3 细砂糖后，搅拌至湿性发泡

湿性发泡的确认方法，就是将糖蛋白搅拌到用刮刀取一些出来后，会呈现出泡泡滴垂下来的状态。

关键 4

第三次加入 1/3 细砂糖，搅拌至干性发泡

干性发泡的确认方法，就是用刮刀将糖蛋白取一些出来后，会呈现出泡泡站起来而不滴垂的状态。

海绵蛋糕 的成败关键
测试蛋糕浓稠度的三种方式

蛋糕浓稠度的正确与否关系着海绵蛋糕能否顺利"发福",所以测试蛋糊浓稠度就成为蛋糕成功的关键。

关键1

用手测试

可以用手沾取一些蛋糕,如果面糊呈现出流滴状而且垂下来约2~3厘米左右就表示浓稠度合适。

关键2

用刮刀测试

用刮刀刮起蛋糊后,用手划过蛋糊,如果出现一条沟而不会自动再黏结起来,就表示浓稠度合适。

关键3

用打蛋器测试

使用打蛋器刮起蛋糊后,呈现出流滴状,而流滴入容器内的蛋糊纹路不会马上消失掉,这样也是正确的浓稠度喔!

10 款戚风蛋糕 简单易容术

马上上手

　　学会基础的戚风蛋糕后，想要展现出不一样风貌的戚风蛋糕吗？以下9种简单的变化可是你大展身手的好机会喔！口味独特、不繁杂的装饰手法，正适合刚入门的你来制作。有香醇浓郁的咖啡口味，也有花香口感十足的薰衣草，并教会你如何轻轻松松就卷出漂亮的蛋糕卷，让你的戚风蛋糕端上台面时架势十足！还在犹豫吗？别浪费时间口罗！

Ka fei dan gao juan

咖啡蛋糕卷

材料

A. 鲜奶 ………… 60克
　 咖啡粉 ……… 3克

B. 蛋黄 …………4个
　 细砂糖 ……… 80克
　 盐 …………… 2克
　 色拉油 ……… 80克

C. 低筋面粉 ……180克
　 泡打粉 ………5克
　 小苏打粉 ……1克

D. 蛋白 …………4个
　 塔塔粉 …………1克
　 细砂糖 ………100克

装饰材料

酒糖液 …………适量
咖啡奶油霜 ………适量

咖啡豆 …………适量

做法

1. 鲜奶煮滚后，加入咖啡粉混合搅拌均匀备用。

2. 将材料B混合搅拌至均匀无颗粒状后，再加入做法1的材料和材料C，混合搅拌均匀即为咖啡面糊。

3. 蛋白打至稳定后，分三次加入细砂糖继续打至干性发泡，即为糖蛋白。

4. 取出做法3中1/3的糖蛋白，与做法2的咖啡面糊搅拌均匀后，再倒入做法3中剩余的糖蛋白混合搅拌均匀备用。

5. 将做法4材料装入烤盘中抹平后，放入180℃的烤箱中，烤焙约25分钟后即可脱模取出。

蛋糕卷的装饰做法

步骤1

先用刷子在蛋糕体上刷上一层酒糖液。

步骤2

涂抹适量的咖啡奶油霜。

步骤2

将蛋糕体底部一端略为抬起后，由内向外卷起。

步骤4

卷好的蛋糕卷，稍加用力向下挤压整型。

步骤5

在蛋糕卷表面再涂抹上适量的咖啡奶油霜。

步骤6

用刮刀从蛋糕卷的头端向下刷至尾端，以方便抹平咖啡奶油霜。

步骤7 将咖啡奶油霜装入挤花袋中，挤出扣子花的花样。

在扣子花上放置咖啡豆，即完成蛋糕卷的装饰。 **步骤8**

何谓酒糖液?

酒糖液就是将细砂糖融解在水和酒当中，通常涂抹在做好的蛋糕体上，然后再视自己的需求覆盖涂抹上鲜奶油或其它的食材，以增加蛋糕的风味，让蛋糕吃起来有一股淡淡的酒香味。当蛋糕吃起来有些干干的感觉时，抹上些酒糖液口感会更加圆润香甜!

材料
细砂糖 ························ 450克
水 ·························· 330ml
兰姆酒或白兰地 ············· 70ml

做法
将细砂糖倒入水中，再加入兰姆酒或白兰地混合搅拌至细砂糖完全溶解即可。

学会制作好吃的咖啡奶油霜

材料
油 ························100克
白油 ························100克
果糖 ························100克
咖啡浓缩液 ··················适量
甜咖啡酒 ····················适量

做法
1. 将酥油、白油和果糖一起混合搅拌均匀后，用打蛋器搅打至外观变白、膨胀。
2. 咖啡浓缩液、甜咖啡酒倒入做法1的材料中一起混合搅拌均匀即可。

Xun yi cao dan gao

薰衣草蛋糕

材料

A. 薰衣草 …………1 克
　　鲜奶……………80 克
　　蛋黄 …………4 个
　　细砂糖…………80 克
　　盐 ……………2 克
　　色拉油…………80 克

B. 低筋面粉 ……180 克
　　泡打粉 …………5 克

C. 蛋白 …………4 个
　　细砂糖 ………100 克
　　塔塔粉 …………1 克

做法

1. 取一小锅，将薰衣草和鲜奶放入锅中，以小火煮约5分钟后熄火备用。

2. 将剩余的材料A 混合搅拌均匀至无颗粒状后，再加入做法1中的材料和材料B混合搅拌均匀，即为面糊。

3. 将材料C 中的蛋白打至稳定后，分三次加入细砂糖继续打至干性发泡，即为糖蛋白。

4. 取出做法3 中 1/3 的糖蛋白，与做法2 的面糊搅拌均匀后，再倒入做法3 中剩余的糖蛋白混合搅拌均匀。

5. 将做法4 材料装入小型的中空圆型烤模内，放入180 ℃的烤箱中，烤焙约25分钟即可脱模取出。

何谓打发的鲜奶油？

首先，准备一个干净无水无油的大碗，把鲜奶油倒进去后直接用打蛋器拌打即可，但在拌打过程中会产生热气，因此会提高鲜奶油的温度，使得鲜奶油里的水分和油分离，变得油油水水的，不容易定型，所以在大碗外还要再准备一个装了冰水或冰块的大盆子，以避免发生这样的惨况喔！

Pei ya dan gao juan

胚芽蛋糕卷

材料

A. 胚芽粉 ············ 15 克

蛋黄················· 4 个

细砂糖 ··········· 80 克

盐················· 2 克

色拉油 ··········· 80 克

鲜奶 ············ 100 克

B. 低筋面粉 ······ 160 克

泡打粉············· 5 克

C. 蛋白 ············· 4 个

塔塔粉············· 1 克

细砂糖 ········· 100 克

装饰材料

打发的鲜奶油 ······ 适量　　　葡萄干 ··············· 适量

做法

1. 将材料A 混合搅拌均匀至无颗粒状后，加入材料 B 混合搅拌拌。

2. 蛋白打至稳定后，分三次加入细砂糖继续打至干性发泡，即为糖蛋白。

3. 取出做法 2 中 1/3 的糖蛋白，与做法 1 的面糊搅拌均匀后，再倒入做法 2 中剩余的糖蛋白混合搅拌均匀备用。

4. 将做法 3 材料装入烤盘中，抹平后，放入 180℃的烤箱中，烤焙约 25 分钟即可脱模取出。

5. 在蛋糕体上抹上打发的鲜奶油后，撒上葡萄干，最后由内向外卷起后再切片即可。

蔓越莓蛋糕

Man yue mei dan gao

材料

A. 蔓越莓 ········· 适量
　　兰姆酒 ········· 适量

B. 蛋黄 ·········· 4个
　　细砂糖 ········ 80克
　　盐 ············· 2克
　　沙拉油 ········ 80克
　　鲜奶 ·········· 80克

C. 低筋面粉 ··· 180克
　　泡打粉 ········· 5克
　　香草粉 ········· 1克

D. 蛋白 ·········· 4个
　　塔塔粉 ········· 1克
　　细砂糖 ····· 100克

装饰材料

打发的鲜奶油 ······适量　　草莓 ·················适量

做法

1. 蔓越莓切碎后，浸泡在兰姆酒中备用。

2. 将材料B搅拌均匀至无颗粒状后，加入做法1的材料和材料C混合搅拌均匀，即为面糊。

3. 蛋白打至稳定后，分三次加入细砂糖继续打至干性发泡，即为糖蛋白。

4. 取出做法3中1/3的糖蛋白，与做法2的面糊搅拌均匀后，再倒入做法3剩余的糖蛋白混合搅拌均匀备用。

5. 将做法4拌匀的面糊装入20厘米的中空模型内，抹平后，放入180℃的烤箱中，烤焙约35分钟即可脱模取出。

6. 将打发的鲜奶油装入挤花袋中，沿着蛋糕体的中央部分挤出条状花纹的鲜奶油。

7. 草莓洗净后切成薄片状，铺放在蛋糕上作为装饰即可。

栗子蛋糕

材料

A. 蛋黄 …………… 4 个

鲜奶 …………… 80 克

色拉油 ………… 80 克

细砂糖 ………… 80 克

盐 ……………… 2 克

B. 低筋面粉 …… 170 克

泡打粉 …………… 5 克

香草粉 …………… 1 克

C. 蛋白 …………… 4 个

塔塔粉 …………… 1 克

细砂糖 ………… 100 克

装饰材料

打发的鲜奶油……… 适量

栗子…………………… 适量

薄荷叶……………… 数片

做法

1. 参考本书 P10 香草戚风蛋糕体的做法，做出蛋糕体。

2. 从烤箱中拿出烤好的蛋糕片后脱模取出。

3. 用小圆模型压出数个小圆形的蛋糕片。

4. 将打发的鲜奶油装入挤花袋中备用。

5. 取一圆形蛋糕片，在上面挤入打发的鲜奶油后，放上栗子，再叠上一片圆形蛋糕片。

6. 再重复一次做法 5 的步骤后，在最上层的圆形蛋糕片，挤上鲜奶油，再放上栗子和薄荷叶作为装饰即可。

Cao mei bing qi lin dan gao

草莓冰淇淋蛋糕

材料

A. 蛋黄 ················· 4 个

鲜奶 ··············· 80 克

色拉油 ············ 80 克

细砂糖 ············ 80 克

盐 ··················· 2 克

B. 低筋面粉 ········· 170 克

泡打粉 ·············· 5 克

香草粉 ·············· 1 克

C. 蛋白 ················· 4 个

塔塔粉 ·············· 1 克

细砂糖 ············ 100 克

装饰材料

打发的鲜奶油 ········· 适量

草莓冰淇淋 ··········· 适量

草莓 ······················· 适量

薄荷叶 ····················· 适量

做法

1. 参考本书 P11 香草戚风蛋糕体的做法，做出蛋糕片。

2. 从烤箱中拿出烤好的蛋糕体后脱模取出。

3. 用小圆模型压出数个小圆形的蛋糕片。

4. 取一玻璃杯，将一片小圆形的蛋糕片放入后，先铺上一层草莓冰淇淋，再放入小圆形蛋糕片，重复上述动作至杯子装到七分满为止。

5. 最后在蛋糕表面上挤入鲜奶油，再放入草莓及薄荷叶装饰即可。

材料

A. 蛋黄 ………… 4个
　　细砂糖 ………70克
　　盐………………1克
　　色拉油 ………80克
B. 低筋面粉 ……125克
　　泡打粉 …………2克
　　小苏打 …………2克
　　可可粉 ………32克
C. 蛋白 …………4个
　　塔塔粉 ………0.5克
　　细砂糖 ………120克

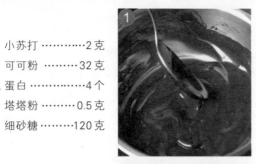

装饰材料

巧克力块 …………适量　　打发的鲜奶油……适量

做法

1. 将材料A混合搅拌均匀至无颗粒状后，再加入材料B混合拌均匀备用，即为面糊。

2. 蛋白打至稳定后，分三次加入细砂糖打至干性发泡，即为糖蛋白。

3. 取出做法2中1/3的糖蛋白，与做法1的面糊搅拌均匀后，再倒入做法2中剩余的糖蛋白混合搅拌均匀备用。

4. 将做法3拌匀的面糊装入小模型中后，放入180℃的烤箱中，烤焙约15分钟即可脱模取出。

5. 将巧克力块以隔水加热方式融解后，取一小部分装入挤花袋中。

6. 取一片蛋糕体，沾裹上做法5的巧克力酱，放凉后用挤花袋挤出打发的鲜奶油做为夹心，再覆盖上另一片沾裹巧克力酱的蛋糕体。

7. 将做法5装入挤花袋的巧克力酱，挤在夹心蛋糕体表面上作装饰即可。

Rou song dan gao

肉松蛋糕

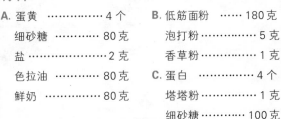

材料

A. 蛋黄 ·············· 4 个
　细砂糖 ·········· 80 克
　盐 ················· 2 克
　色拉油 ·········· 80 克
　鲜奶 ············· 80 克

B. 低筋面粉 ······ 180 克
　泡打粉 ··········· 5 克
　香草粉 ··········· 1 克

C. 蛋白 ·············· 4 个
　塔塔粉 ··········· 1 克
　细砂糖 ·········· 100 克

装饰材料

肉松 ················ 适量
青葱末 ············· 适量

色拉酱 ·············· 适量

做法

1. 将材料A 搅拌均匀至无颗粒状后，再加入材料 B 搅拌均匀，即为面糊。

2. 蛋白打至稳定后，分三次加入细砂糖继续打至干性发泡，即为糖蛋白。

3. 取出做法2 中 1/3 的糖蛋白，与做法1 的面糊搅拌均匀后，再倒入做法2 中剩余的糖蛋白混合搅拌均匀备用。

4. 将做法3 拌匀的面糊装入烤盘中，抹平后，再撒上肉松、青葱末，放入180℃的烤箱中，烤焙约25分钟即可脱模取出。

5. 在蛋糕体上涂抹适量的色拉酱，再撒上肉松并由内向外卷起切片即可。

抹茶蛋糕
Mo cha dan gao

材料

A. 蛋黄 ………… 4 个
　　细砂糖 …… 80 克
　　盐 …………… 2 克
　　色拉油 …… 80 克
　　鲜奶 ……… 80 克

B. 低筋面粉 … 160 克
　　泡打粉 ……… 5 克
　　抹茶粉 ……… 3 克

C. 蛋白 ………… 4 个
　　塔塔粉 …… 0.5 克
　　细砂糖 …… 100 克

装饰材料

打发的鲜奶油 … 适量　　白纸 …………… 1 张　　糖粉 …………… 适量

做法

1. 将材料 A 混合搅拌均匀至无颗粒状后，再加入材料 B 混合搅拌均匀，即为面糊。

2. 蛋白打至稳定后，分三次加入细砂糖继续打至干性发泡，即为糖蛋白。

3. 取出做法 2 中 1/3 的糖蛋白，与做法 1 的面糊搅拌均匀后，再倒入做法 2 中剩余的糖蛋白混合搅拌均匀备用。

4. 将做法 3 材料装入烤盘中，抹平后，放入 180 ℃的烤箱中，烤焙约 25 分钟即可脱模取出。

5. 将做法 4 从中间对切成二等份的长方形蛋糕体。

6. 取其中一份的蛋糕体，在上面涂抹打发的鲜奶油后，再将另一份蛋糕体盖上。

7. 取一张白纸，用剪刀剪出数个菱形图案的纸模后，平铺在做法 6 的蛋糕上。

8. 均匀撒上糖粉后，再将纸模取下即可。

山药蛋糕卷
Shan yao dan gao juan

蛋白	210克
塔塔粉	2克
盐	2克
细砂糖	80克
低筋面粉	100克
紫山药	120克
白山药	120克
沙拉酱	适量

做法

1. 取一搅拌缸及拌打器，并擦拭干净至无任何水及油分备用。

2. 蛋白加入塔塔粉以中速拌打至起细泡。

3. 加入盐及 2/3 的细砂糖于做法 2 中拌匀。

4. 将剩余的 1/3 细砂糖加入做法 3 中拌打至湿性偏干性发泡。

5. 低筋面粉过筛后加入做法 4 中轻轻拌匀成蛋糕体面糊。

6. 取烤盘，于内部底层铺上白报纸，将做法 5 的蛋糕体面糊倒入并抹平，放入烤箱上层以 190℃烤约 20 分钟。

7. 紫山药与白山药分别削皮，放入电锅蒸熟，再取出白山药捣成泥状、紫山药切小丁，放入碗中加入沙拉酱拌匀成山药沙拉内馅。

8. 取出烤好的蛋糕体倒扣于白报纸上，撕掉底部白报纸待冷却。

9. 以较漂亮的一面朝下，另一面抹上做法 7 的山药沙拉内馅，于开头部分约 2 厘米处浅切一刀(勿切断)，再用擀面棍将其与白报纸一起卷起即可。

7款绝不可错过的海绵蛋糕秀

喜欢亲手制作蛋糕的人，绝对不能放过以下7种简单又好吃的海绵蛋糕，丰富的口感变化加上软绵细致的蛋糕体，让刚入门学习的你有意想不到的成就感喔！

红茶海绵蛋糕
Hong cha hai mian dan gao

材料

红茶包	1 包	盐	4 克
热水	50 克	低筋面粉	140 克
全蛋	4 个	色拉油	30 克
细砂糖	220 克	牛奶	30 克

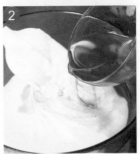

装饰材料

打发的鲜奶油 … 适量

做法

1. 将红茶包放入热水中约 3 分钟后，取出茶包留下红茶汁备用。

2. 参考本书 P15 香草海绵蛋糕体中的前 10 个步骤做法后，再将牛奶、红茶汁加入搅拌均匀，即可完成海绵蛋糕面糊。

3. 将适量的面糊倒入 15 厘米烤模中，约 6~7 分满的分量即可。

4. 轻轻敲打烤模，让面糊中多余的气体释出。

5. 放入 180 ℃的烤箱中，烤焙约 35 分钟左右即可取出。

6. 等蛋糕放凉，脱模后，再将打发的鲜奶油涂抹于蛋糕表面作为装饰即可。

Ning meng dan gao

柠檬蛋糕

材料

奶油 ·················250克 　低筋面粉 ···········230克

全蛋 ··················4个 　泡打粉 ·············5克

细砂糖 ···············270克 　柠檬汁 ·············少许

装饰材料

奶油················适量 　柠檬·············半个

做法

1. 取一小锅，将奶油放入锅中加热融化后备用；柠檬挤出柠檬汁备用；取下少许柠檬皮碎末备用。

2. 将装饰材料中的奶油加热融化后，加入做法1的柠檬皮碎末混合搅拌后即为奶油柠檬液。

3. 参考本书P15香草海绵蛋糕体中的前10个步骤的做法后，再将做法1的奶油、柠檬汁加入搅拌均匀，即可完成海绵蛋糕面糊。

4. 将适量的面糊倒入椭圆形烤模中，约6～7分满的分量即可。

5. 轻轻敲打烤模，让面糊中多余的气体释出。

6. 放入180℃的烤箱中，烤焙约25分钟左右即可取出。

7. 等蛋糕放凉，脱模后，再用刷子沾取做法2的奶油柠檬液，涂抹在蛋糕上即可。

Hei tang hai mian dan gao

黑糖海绵蛋糕

材料

全蛋 ···················· 4 个

黑糖糖浆 ··········· 210 克

盐 ······················ 4 克

低筋面粉 ··········· 140 克

色拉油 ·············· 30 克

牛奶 ·················· 30ml

装饰材料

糖粉 ················· 少许

做法

1. 参考本书 P15 香草海绵蛋糕体的做法，将海绵蛋糕面糊倒入圆形的小烤模中。

2. 放入 190 ℃的烤箱中，烤焙约25 分左右即可取出。

3. 等蛋糕放凉、脱模后，在蛋糕表面撒上糖粉装饰即可。

Tips

浓缩的黑糖糖浆在烘培材料行相当容易买到。

森林水果海绵蛋糕
Sen lin shui guo hai mian dan gao

材料

全蛋 ·····················4 个	可可粉 ·················20 克
细砂糖 ············· 165 克	小苏打 ··················· 1 克
玉米粉 ·················10 克	色拉油 ·················30 克
低筋面粉 ·········· 100 克	牛奶 ·····················40 克

装饰材料

打发的鲜奶油 ········· 适量	巧克力 ·············· 少许
樱桃酱 ·················· 适量	糖粉 ·················· 少许
樱桃 ······················ 适量	

做法

1. 参考本书 P15 香草海绵蛋糕的做法（材料中的可可粉和小苏打粉，可在步骤 7 中与低筋面粉一同过筛后，再倒入步骤 6 的蛋糕中），将海绵蛋糕面糊倒入长形烤模中。

2. 放入 180℃的烤箱中，烤焙约 35 分钟。

3. 等蛋糕放凉后，分切成三等份，先取其中一等份，在上面涂抹上打发的鲜奶油后，再加入适量的樱桃酱和樱桃，并再另取一等份覆盖上，并一样地涂抹上打发的鲜奶油、樱桃酱和樱桃，再覆盖上最后一等份的蛋糕体后，再稍稍向下挤压整型。

4. 将蛋糕的表面都涂抹上打发的鲜奶油后，再将鲜奶油装入挤花袋中，挤出扣子花作装饰。

5. 先在扣子花上放置樱桃后，再将刨下的巧克力碎片放入，最后再撒上糖粉装饰即可。

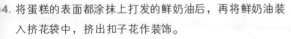

橙桔海绵蛋糕

材料

白报纸 ················ 1 张	低筋面粉 ·········· 110 克
桔皮 ·················· 适量	玉米粉 ··············· 30 克
全蛋 ·················· 4 个	沙拉油 ··············· 30 克
细砂糖 ··············· 210 克	牛奶 ·················· 30 克
盐 ··················· 4 克	

做法

1. 把白报纸铺在烤盘上,将桔皮铺在纸上备用。

2. 参考本书 P15 香草海绵蛋糕的做法（材料中的玉米粉,可在步骤 7 中与低筋面粉一同过筛后,再倒入步骤 6 的蛋糊中）,将海绵蛋糕面糊倒入做法 1 的烤盘上。

3. 放入 180 ℃的烤箱中,烤焙约 25 分钟后取出放凉。

4. 将蛋糕倒扣,并撕下白报纸,再以刀子切开即可。

Hong dou tian shi dan gao

红豆天使蛋糕

材料

白报纸	1 张	蛋白	4 颗
蜜红豆	30 克	细砂糖	70 克
色拉油	50 克	桔子果酱	适量
玉米粉	45 克		

做法

1. 把白报纸铺在烤盘上，将红豆铺在纸上备用。

2. 取一小锅，先将色拉油加热后熄火，把玉米粉倒入锅中快速搅拌成糊化状态，放凉备用。

3. 蛋白先打到湿性发泡后，再打到接近干性发泡状态即可。

4. 先取 1/3 做法 3 的蛋白和做法 2 的面糊拌匀后，再倒入做法 3 剩下的蛋白中混合搅拌均匀。

5. 将做法 4 的海绵蛋糕面糊倒入做法 1 的烤盘上，抹平后再放入烤箱中，以烤箱温度上火 190 ℃，下火 150 ℃，烤焙约 25 分钟后取出放凉。

6. 将蛋糕倒扣，并撕下白报纸后，再以刀子对切成二等份。

7. 取其中一等份涂抹上桔子果酱后，覆盖上另一等份的蛋糕体，再以刀子切出数个长方形的块状即可。

Cao mei tian shi dan gao

草莓天使蛋糕

材料

天使蛋糕体 ················· 1个

白色打发鲜奶油 ·········· 300克

草莓 ·························· 适量

绿色打发鲜奶油 ·········· 少许

做法

1. 将白色打发鲜奶油均匀涂抹在天使蛋糕体的外层，草莓对切成一半后，放置在蛋糕体底部周围处；再取白色打发鲜奶油装入挤花袋中，使用星星花嘴，在每一个草莓的间隔处挤出星形花饰。

2. 继续在蛋糕体的中间处挤上白色打发鲜奶油，再摆放上整颗的草莓，并在间隔处挤出星形花饰。

3. 取绿色打发鲜奶油装入挤花袋中，并使用叶片花嘴和圆形花嘴，分别在做法2中各挤出叶子和藤蔓即可。

4个蛋另类创意
4大变身 *

4个蛋除了可做出美味可口的戚风蛋糕和海绵蛋糕外，还能有何种不同的变化呢？你知道吗？可口的鸡蛋糕、红豆饼、铜锣烧，都可以用4个蛋就做出来。现在，赶快来一探究竟吧！

红豆饼
Hong dou bing

材料

奶油	60克
全蛋	4个
细砂糖	120克
低筋面粉	140克
泡打粉	2克
鲜奶	60克
市售红豆馅料	适量

Q 为什么将奶油加入面糊后，要先让面糊静置30分钟呢？

A 因为要让干性材料能完全吸收到湿性材料，所以必须让面糊静置约30分钟。

做法

1. 取一锅，将奶油放入锅中加热融化后备用。

2. 将全蛋、细砂糖放入碗内打至微发后，再加入低筋面粉、泡打粉及鲜奶混合搅拌均匀。

3. 再倒入做法1的奶油混合拌匀后，让面糊静置约30分钟。

4. 将红豆饼烤模先加热至150℃后，再倒入做法3的面糊约至8分满即可。

5. 当饼皮呈现金黄外观时，即可加入红豆馅料，再将另一面烤至呈金黄外观的饼皮覆盖上即可。

鸡蛋糕

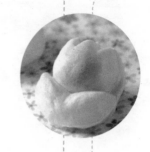

材料

奶油	60 克
全蛋	4 个
细砂糖	120 克
低筋面粉	140 克
鲜奶	60 克
泡打粉	2 克

做法

1. 取一锅，将奶油放入锅中加热融化后备用。

2. 将全蛋、细砂糖放入碗内打至微发后，再加入过筛的低筋面粉、泡打粉和鲜奶混合搅拌均匀。

3. 再倒入做法 1 的奶油混合拌匀后，让面糊静置约 30 分钟。

4. 将鸡蛋糕烤模先加热至 150℃后，再倒入做法 3 的面糊约至 8 分满，烤至外观呈现金黄色即可。

铜锣烧

材料

奶油 ……………………………… 60 克

全蛋 ……………………………… 4 个

细砂糖 …………………………… 120 克

蜂蜜 ……………………………… 45 克

低筋面粉 ………………………… 200 克

泡打粉 …………………………… 2 克

做法

1. 取一锅，将奶油放入锅中加热融化后备用。

2. 将全蛋、细砂糖、蜂蜜放入碗内打至微发后，再加入低筋面粉、泡打粉过筛后混合搅拌均匀。

3. 再倒入做法1的奶油混合拌匀后，让面糊静置约30分钟。

4. 将铜锣烧烤模加热至150℃后，再倒入做法3的面糊约至8分满，烤至外观呈现金黄色即可。

图书在版编目（CIP）数据

一学就会做蛋糕 / 陈明里著. —汕头：汕头大学出版社，2005.9（2007.2 重印）
（美食讲堂系列）
ISBN 978-7-81036-948-0
Ⅰ. 一... Ⅱ. 陈... Ⅲ. 糕点—制作 Ⅳ.TS213.2
中国版本图书馆 CIP 数据核字（2007）第 014761 号

一学就会做蛋糕

作　　者：	陈明里
责任编辑：	梁志英　　叶思源
责任校对：	张立琼
封面设计：	郭　炜
责任技编：	姚健燕　　李　行
出版发行：	汕头大学出版社
	广东省汕头市汕头大学内　　邮编　515063
电　　话：	0754-2903126
印　　刷：	深圳大公印刷有限公司
开　　本：	787×1092　1/32
印　　张：	10
字　　数：	100 千字
版　　次：	2007 年 2 月第 2 版
印　　次：	2007 年 2 月第 1 次印刷
定　　价：	30.00 元（全 5 册）

ISBN 978-7-81036-948-0

发行/广州发行中心　通讯邮购地址/广州市天河北路177号祥龙阁3004室　　邮编　510620
电话/020-22232999　传真/020-85250486
马新发行所/城邦（马新）出版集团
电话/603-90563833　传真/603-90562833
E-mail:citeckm@pd=.jaring.my